THUIT A' BHÒ ÀS A' GHEALAICH

NADIA SHIREEN

acair

Taing shònraichte do Jonathan Barnbrook agus Julian Stockton

JONATHAN CAPE

BREATAINN | NA STÀITEAN AONAICHTE | CANADA | ÈIRINN |
ASTRÀILIA | NA H-INNSEACHAN | SEALAINN NUADH | AFRAGA A DEAS
Tha Jonathan Cape mar phàirt de bhuidheann chompanaidhean Penguin Random House
agus gheibhear na seòlaidhean aig Global.penguinrandomhouse.com

www.penguin.co.uk   www.puffin.co.uk   www.ladybird.co.uk

A' chiad fhoillseachadh sa Bheurla 2017. Foillseachadh an eagrain seo 2019
001

A' chiad fhoillseachadh sa Ghàidhlig 2019 le Acair, An Tosgan, Rathad Shìophoirt,
Steòrnabhagh, Eilean Leòdhais HS1 2SD

info@acairbooks.com   www.acairbooks.com

© an teacsa Ghàidhlig 2019 Acair

An tionndadh Gàidhlig le Doileag NicLeòid. An dealbhachadh sa Ghàidhlig le Freya NicLeòid.

Tha Acair a' faighinn taic bho Bhòrd na Gàidhlig.

Gheibhear clàr catalog CIP airson an leabhair seo ann an Leabharlann Bhreatainn.

Clo-bhuailte ann an Sìona   LAGE/ISBN 978-1-78907-059-0

GACH SGRÌOBHADH GU:
JONATHAN CAPE, PENGUIN RANDOM HOUSE CHILDREN'S, 80 STRAND, LUNNAINN, WC2R 0RL

OSCR
Scottish Charity Regulator
www.oscr.org.uk
Registered Charity
SC047866

Riaghladair Carthannas na h-Alba
Carthannas Clàraichte/
Registered Charity SC047866

FSC
MIX
Paper from
responsible sources
FSC® C018179

Gach oidhche bha an t-adhar làn rionnagan.
Agus gach oidhche 's ann fòdhpa a bha
na caoraich a' cadal.

Ach aon oidhche
thachair rud
annasach
neònach…

Thòisich rionnag àraid a' tuiteam às an adhar.

Thàinig i nas fhaisge

agus nas fhaisge

gus…..

Nuair a sgaoil a' cheò, shaoil na caoraich
gu faiceadh iad rud a bha coltach ri rocaidean beaga droma agus…

An toiseach, bha
a' bhò bheag caran
troimh-a-chèile.

Ach thug na
caoraich dhi plaide
agus cupan teatha,
agus rinn sin feum.

"Cò às a thàinig thu,
a bho bhig?"
dh'fhaighnich iad.
"Dè an t-ainm a th' ort?"

Dh'inns a' bhò bheag an sgeul aice.
Agus abair sgeul.

Ach aon fhacal cha
tuigeadh na caoraich.
Cha robh iadsan a' cluinntinn
ach fuaimean neònach.

"Nach toir sinn ainm dhi?
Dè mu dheidhinn Blàrag?
HALLÒ A BHLÀRAG!"
arsa na caoraich.

Ò, thuirt Blàrag rithe fhèin,
tha cnap-starra gu
bhith ann an seo.

WOOO-WOOO...

'S cinnteach gun tuigeadh Beathag a' bhò?

"Mù?" dh'fheuch Beathag.

"Wooo!" fhreagair Blàrag.

"Uill," arsa Beathag. "Cha do rinn mi bun no bàrr dhen siud."

"Chan ann às an seo
a tha e," arsa
Caolan an cat.

"'S beag m' fhios!"
arsa Ruadhan an cù.

Dhùisg an onghail
Mèarag a' mhuc gun
càil a dh'fhios
aice *dè* bha tachairt.

Mura robh duin' idir dha tuigsinn,
ciamar bhon ghrèin a gheibheadh Blàrag dhachaigh?

Stad ort...

Dè bha siud?

Cunntadh sìos?

Bha amharas air
		Blàrag mun seo…

Bha na cearcan air a bhith trang. Agus a-nis, rachadh
iad gu dàna, far nach deach cearc a-riamh roimhe.

Bha Blàrag a' coimhead nan rocaidean beaga droma aice
a' falbh à sealladh suas dha na speuran. An uair
sin thuit rudeigin gu socair sìos chun na talmhainn.

WOOO!

Dè bha seo ach dealbh de Bhlàrag còmhla ri teaghlach aig an taigh – air a' GHEALAICH!

"Ò, 's e BÒ GEALAICH a th' annad," thuirt na caoraich. "Uill, carson nach tuirt thu sin? Cuiridh sinne dhachaigh thu."

Às aonais rocaidean beaga droma Blàraig,
cha bhiodh e furasta a dhol chun
na gealaich.

Dh'fheuch iad leum,   sreap

àradh de chaoraich.   Ach cha do dh'obraich càil.

Cha robh fios aig Blàrag
dè dhèanadh i.

Sheas i a' coimhead na
gealaich agus dh'èigh i.

Tè an dèidh tè, dh'èigh
na caoraich còmhla rithe.

Phriob rudeigin.

Agus thòisich rionnag
a' tuiteam às an adhar!

Nas fhaisge
is nas fhaisge …

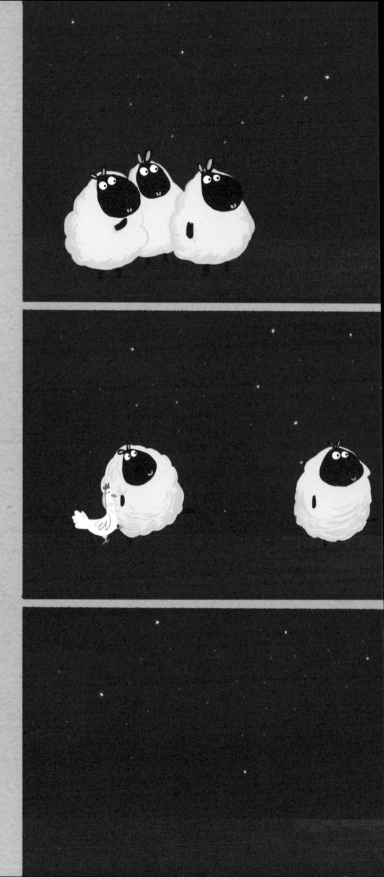

FRUIS!

Chuala crodh na gealaich iad!

Dh'inns Blàrag do chrodh
na gealaich mar a thachair dhi
agus thuig iad a h-uile
facal a thuirt i.

Bha an t-àm ann a-nis do
Bhlàrag tilleadh dhachaigh.

Rinn a h-uile duine
gàirdeachas is i a' dol à sealladh
suas dha na speuran.

Agus, a-nis gach oidhche
mus caidil iad, bidh na caoraich
a' coimhead suas ris a' ghealaich
ag ràdh oidhche mhath ri Blàrag…

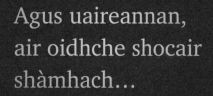

Agus uaireannan,
air oidhche shocair
shàmhach…

…saoilidh iad gun cluinn
iad i gam freagairt.

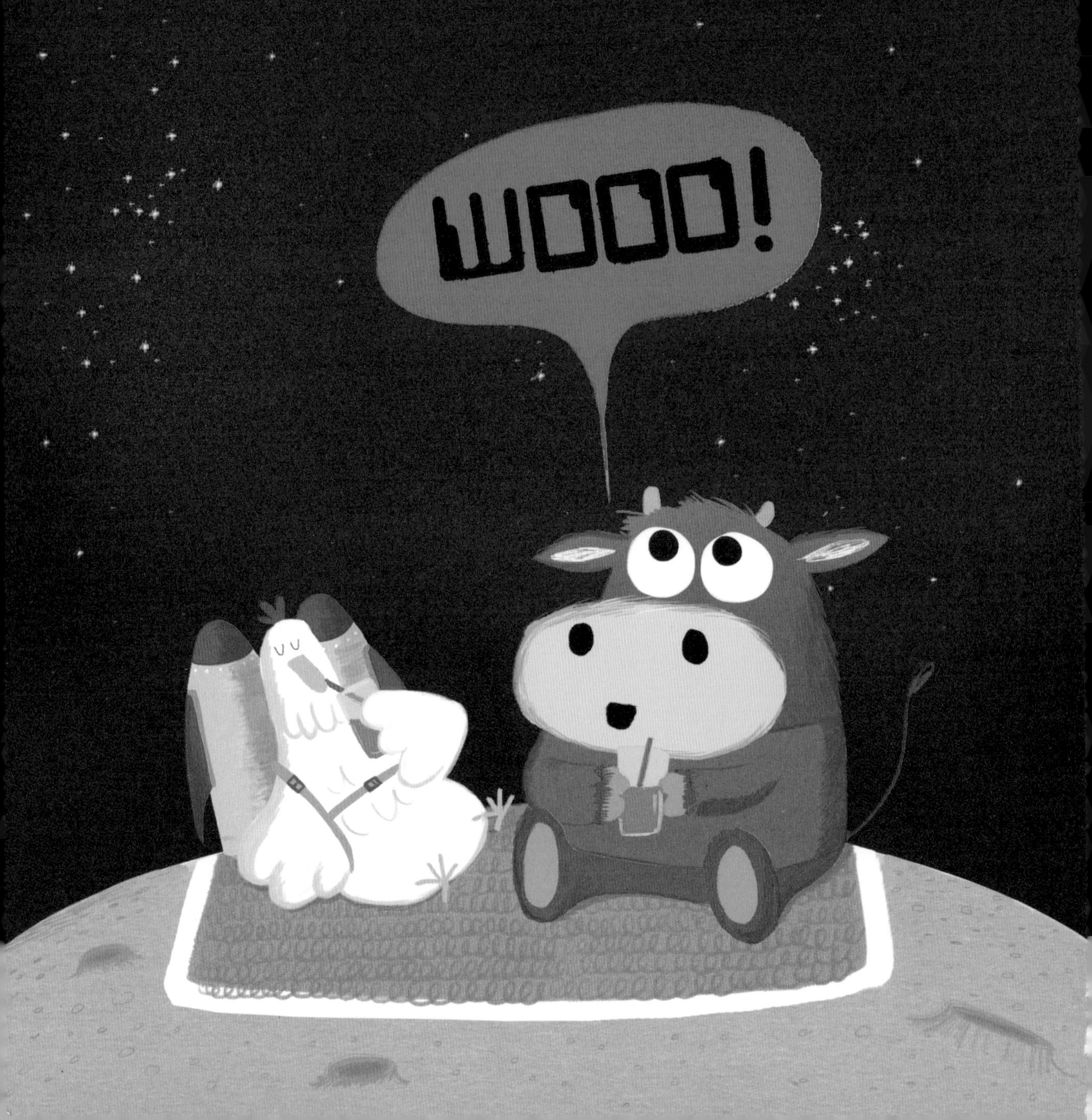